LA GUERRE DES
CLANS
RETOUR AUX CLANS

Justine B.

L'auteur

Pour écrire *La guerre des Clans*, **Erin Hunter** puise son inspiration dans son amour des chats et du monde sauvage. Erin est une fidèle protectrice de la nature. Elle aime par-dessus tout expliquer le comportement animal grâce aux mythologies, à l'astrologie et aux pierres levées.

Vous aimez les livres de la collection

LA GUERRE DES CLANS

Retrouvez-les sur :
www.laguerredesclans.fr
pour tout savoir sur la série!

LA GUERRE DES CLANS
RETOUR AUX CLANS

Créé par
ERIN HUNTER

Écrit par Dan Jolley et illustré par Don Hudson

Traduit de l'anglais par Aude Carlier

POCKET JEUNESSE
PKJ·

Titre original :
Warriors : Tigerstar and Sasha
Vol. 3
Return to the Clans
Créé par Erin Hunter
Écrit par Dan Jolley et illustré par Don Hudson

Loi n° 49956 du 16 juillet 1949 sur les publications
destinées à la jeunesse : juillet 2015.

Text copyright © 2008 by Working Partners Limited
Art copyright © 2008 by TOKYOPOP Inc. and HarperCollins Publishers
© 2015, éditions Pocket Jeunesse, département d'Univers Poche,
pour la présente édition et la traduction française.
ISBN : 978-2-266-25985-9

PENDANT UN MOMENT... UN COURT INSTANT... LA VIE EST PARFAITE.

J'AIMERAIS QUE CELA RESTE TOUJOURS AINSI.

MAIS MES PETITS ONT BESOIN DE BEAUCOUP DE LAIT. ET POUR POUVOIR LE LEUR DONNER, JE DOIS ÊTRE FORTE.

JE DOIS DONC CHASSER. TOUS LES JOURS.

ALORS QUE LE GIBIER SE FAIT DE PLUS EN PLUS RARE.

CES CHATONS SONT TOUTE MA VIE, MAINTENANT. MAIS... AI-JE PRIS LA BONNE DÉCISION ? J'AI SI FROID ET JE SUIS ÉPUISÉE.

SUIS-JE ÉGOÏSTE DE VOULOIR LES ÉLEVER DANS LA FORÊT ?

JE LES AI BAPTISÉS...

FAUCON...

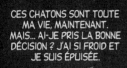

... SA SŒUR, PAPILLON...

... ET L'AÎNÉ, TÊTARD.

DÈS QU'ILS SERONT SUFFISAMMENT GRANDS, JE LES EMMÈNERAI LE PLUS LOIN POSSIBLE DES FRONTIÈRES DU CLAN DE L'OMBRE.

ÉTOILE DU TIGRE NE LES VERRA JAMAIS. IL NE FERA PAS PARTIE DE LEUR VIE. J'Y VEILLERAI.

MALGRÉ TOUT, J'AIMERAIS QU'ILS SACHENT QUE LEUR PÈRE EST PUISSANT ET QU'IL PEUT SE MONTRER MAJESTUEUX...

... ET MERVEILLEUX.

JE NE LE REVERRAI PLUS JAMAIS. POURTANT, LA NUIT...

... JE LE VOIS EN RÊVE.

MÊME LÀ, JE SUIS INCAPABLE DE LUI PARLER. PAS APRÈS CE QUE J'AI APPRIS SUR SON COMPTE. SUR SA VRAIE NATURE.

J'EN SOUFFRE JUSQUE DANS MES RÊVES.

PENDANT QUE JE CHASSE, LES CHATONS RESTENT DANS LA TANIÈRE, BIEN SÛR. JE SUIS SI AFFAIBLIE ET AMAIGRIE...

LA PLUPART DE TEMPS, JE ME RÉJOUIS QU'ILS NE ME VOIENT PAS À L'ŒUVRE. QUELLE HONTE SINON !

JE N'ABANDONNE JAMAIS. JE N'Y PENSE MÊME PAS. ET SI JE NE RAPPORTE QU'UNE SOURIS MINUSCULE...

... JE M'EN CONTENTE.

NON ! JE NE PEUX PAS AFFRONTER ÉTOILE DU TIGRE ! ET CETTE ROUQUINE, FEUILLE ROUSSE...

... ELLE ME CONNAÎT ! ELLE VA DIRE À TOUT LE MONDE QUI JE SUIS !

ELLE EST TROP MAIGRE POUR ÊTRE UNE MENACE. CEUX DU CLAN DU SANG SONT MIEUX NOURRIS. VOICI MA PROPOSITION.

MMM...

LAISSONS-LA PARTIR... SI ELLE NOUS JURE DE NE JAMAIS REVENIR.

JE N'EN CROIS PAS MES YEUX, ELLE M'OFFRE SON AIDE ! J'AI UNE CHANCE DE M'EN SORTIR !

ATTENDEZ !

SNIF SNIF

ELLE SENT LE LAIT.

SES PETITS NE DOIVENT PAS ÊTRE LOIN !

PITIÉ, NON ! S'ILS TROUVENT MES PETITS, ILS ME LES VOLERONT ET LES FORCERONT À DEVENIR DES GUERRIERS DU CLAN DE L'OMBRE !

SURTOUT SI ÉTOILE DU TIGRE DÉCOUVRE QU'IL EST LEUR PÈRE !

JE... C'EST VRAI, J'AI EU DES PETITS.

MAIS LE FROID LES A EMPORTÉS.

TOUS.

MA PAUVRE !

C'EST TERRIBLE. ÉCOUTE, TU PEUX REPARTIR D'OÙ TU VIENS.

PARS MAINTENANT.

MON CŒUR BAT VITE ET J'AI LE SOUFFLE COURT, MAIS JE N'EN MONTRE RIEN.

POUR NE PAS EFFRAYER MES PETITS.

MA MÉSAVENTURE ME REND GÉNÉREUSE. JE DÉCIDE DE LES LAISSER SORTIR JOUER...

... CE QU'ILS ONT TROP RAREMENT L'OCCASION DE FAIRE.

ENFIN, ON SORT DE LA TANIÈRE ! VENEZ, VITE !

TU ES SÛR QUE C'EST SANS DANGER, TÊTARD ? ET SI...

... ON CROISAIT UN RENARD ?

NE T'INQUIÈTE PAS ! JE NE LAISSERAI AUCUN RENARD STUPIDE TE FAIRE DU MAL !

D'ACCORD ! JE VOUS SUIS ! EUH... ON VA OÙ ?

ALLEZ !
SUIVEZ-MOI !

JE SUIS JUSTE
DERRIÈRE TOI...
MMRIAOU !

OH ! FAUCON,
ÇA VA ?

BOUM

OUI. MAIS JE NE
SAIS PAS ENCORE
GRIMPER COMME
TÊTARD.

ALLEZ, PETIT
FRÈRE ! TU PEUX LE
FAIRE !

ESSAIE
ENCORE !

ILS SE SONT BIEN AMUSÉS, AUJOURD'HUI. MAIS MAINTENANT JE M'INQUIÈTE.

ET SI LEUR ODEUR PARVENAIT JUSQU'AU CAMP DU CLAN DE L'OMBRE ?

MAMAN, RACONTE-NOUS UNE HISTOIRE, S'IL TE PLAÎT ?

CELLE DU JOUR OÙ JE SUIS ENTRÉE DANS LA FORÊT POUR LA PREMIÈRE FOIS ?

OUI OUI !

... C'EST ALORS QU'UN RENARD M'A COURU APRÈS. UN RENARDEAU, J'ÉTAIS PETITE, À L'ÉPOQUE, ET IL M'A EFFRAYÉE !

D'ACCORD... ALORS... UN JOUR, ALORS QUE J'AVAIS SIX LUNES, J'AI ÉCHAPPÉ À LA SURVEILLANCE DE MES MAISONNIERS.

J'AI MARCHÉ JUSQU'À L'ORÉE DE LA FORÊT ET J'AI VU MON TOUT PREMIER LAPIN...

JE ME SUIS CACHÉE DANS UN TROU... ENSUITE, HENRI, L'UN DE MES MAISONNIERS, EST VENU ME CHERCHER.

IL M'A TROUVÉE AVEC SA CANNE ET M'A RAMENÉE À LA MAISON.

QU'EST-IL ARRIVÉ À HENRI ?

JE L'IGNORE.

IL A DISPARU DU JOUR AU LENDEMAIN.

JE N'AI JAMAIS SU OÙ IL ÉTAIT PARTI.

NI POURQUOI.

NE SOIS PAS TRISTE, MAMAN.

JE N'AI PAS LE DROIT DE TROP PENSER À HENRI. JE DOIS VEILLER SUR MES PROPRES PETITS.

AUTREFOIS JE COMPTAIS SUR HENRI ET JEANNE. MAINTENANT CE SONT MES PETITS QUI ONT BESOIN DE MOI.

JE PRENDRAI BIEN SOIN D'EUX. QUOI QU'IL ARRIVE. ILS SONT TOUTE MA VIE.

ÉTOILE DU TIGRE A BEAU ME TOURMENTER ENCORE DANS MES RÊVES, JAMAIS IL NE METTRA LA PATTE SUR EUX.

UNE GUERRIÈRE DU CLAN DE L'OMBRE ! LÀ, EN PLEIN JOUR, QUI REGARDE MES PETITS !

CE SONT...

...LES PETITS D'ÉTOILE DU TIGRE ?

JE NE SAIS PLUS SI JE DOIS M'ENFUIR, ME BATTRE OU JUSTE CRIER.

MON CŒUR S'ARRÊTE.

O-OUI.

C'EST CE QUE JE ME DISAIS.

LES MÂLES LUI RESSEMBLENT.

PITIÉ, FEUILLE ROUSSE, NE DIS RIEN À ÉTOILE DU TIGRE !

QUOI ? TU N'ES PAS AU COURANT ? OH, SACHA... ÉTOILE DU TIGRE EST MORT.

TUÉ PAR LE MEMBRE DU CLAN DU SANG AVEC QUI IL AVAIT PASSÉ UN ACCORD.

APRÈS SA MORT, LES GUERRIERS DES CLANS RÉUNIS ONT CHASSÉ LE CLAN DU SANG DE LA FORÊT.

NE T'INQUIÈTE PAS.

DÈS QU'ILS SERONT ASSEZ FORTS POUR VOYAGER, NOUS PARTIRONS.

TRÈS BIEN.

BON, J'Y VAIS.

TU AS UNE BIEN JOLIE FAMILLE, SACHA.

J'ESPÈRE QUE CES CHATONS DEVIENDRONT FORTS !

JE SUIS TRISTE DE VOIR FEUILLE ROUSSE S'EN ALLER. J'AURAIS AIMÉ QUE NOUS FASSIONS CONNAISSANCE...

... DANS D'AUTRES CIRCONSTANCES.

24

LA MORT D'ÉTOILE DU TIGRE M'ATTRISTE. J'AI L'IMPRESSION QU'UNE PART DE MOI-MÊME EST MORTE AVEC LUI.

MAIS JE ME SENS AUSSI SOULAGÉE. INUTILE DE CONTINUER À ME MENTIR : JE L'AIMAIS DE TOUT MON CŒUR.

À PRÉSENT, JE PEUX JUSTE ME SOUVENIR...

... DE SA PRÉVENANCE, DE SON COURAGE, ET DE TOUT CE QU'IL M'A APPRIS.

OH, ÉTOILE DU TIGRE...

... TU ME MANQUERAS.

POUR TOUJOURS.

CETTE NUIT-LÀ, QUAND JE PARVIENS ENFIN À M'ENDORMIR, J'ESSAIE DE PARLER À ÉTOILE DU TIGRE, DANS MES RÊVES...

... MAIS IL ME LAISSE SEULE.

POURQUOI ?

J'AIMERAIS QU'IL RESTE PRÈS DE MOI.

BIEN SÛR, LES CHATONS NE CONNAISSENT RIEN DE LEUR PÈRE.

IL FAUT QUE JE LEUR PARLE DE LUI. J'Y PENSE SANS ARRÊT.

MAIS CE N'EST JAMAIS LE BON MOMENT.

AU LIEU DE QUOI, JE LES REGARDE GRANDIR AVEC BONHEUR.

ILS SONT PARFAITS.

JE NE LEUR MONTRE PAS QUE LES TEMPS SONT DURS.

LE GIBIER SE FAIT RARE À LA MAUVAISE SAISON ET, QUAND J'ARRIVE À ATTRAPER QUELQUE CHOSE, JE DOIS SOUVENT ME BATTRE POUR LE GARDER.

SANS COMPTER QU'IL ME FAUT CHAQUE FOIS M'ÉLOIGNER UN PEU PLUS DE LA TANIÈRE.

MAIS JE N'AI PAS LE CHOIX. JE DOIS RESTER LE PLUS LOIN POSSIBLE DU TERRITOIRE DU CLAN DE L'OMBRE.

CE QUI M'INTERDIT UNE BONNE PARTIE DE LA FORÊT.

28

OUI ?

TÊTARD ?

JE NE ME SUIS JAMAIS ENFONCÉE SI LOIN DANS LES BOIS.

RESTE PRÈS DE MOI. JE TE PROTÉGERAI.

VOUS AVEZ ENTENDU CE BRUIT, LÀ-BAS ?

MAIS À L'ENTENDRE, ÇA DOIT ÊTRE GROS...

CE N'EST RIEN, PAPILLON.

CONTINUEZ À AVANCER ! NOUS ALLONS LE CONTOURNER.

REGARDEZ CE CHIEN ! IL EST ÉNORME !

IL POURRAIT NOUS MANGER D'UN COUP.

ALLEZ, ALLEZ ! ON AVANCE !

CES... RONCES... SONT TRÈS PIQUANTES...

TU ES SÛR QUE C'EST LE BON CHEMIN, TÊTARD ?

TU AVAIS RAISON, TÊTARD...

C'EST LE TERRITOIRE DES BIPÈDES !

C'EST COMME DANS LES HISTOIRES DE MAMAN ! REGARDEZ TOUTES CES TANIÈRES, JE...

MMRRIAAOU !

C'EST QUOI CETTE HORREUR ?!

SACHA ? C'EST TOI ?

MITAINE ! TU M'AS FAIT PEUR !

DÉSOLÉE.

JE NE PENSAIS PAS QUE TU REVIENDRAIS ! TU NE DEVAIS PAS PARTIR POUR TOUJOURS ?

SI MAIS... CE SONT MES CHATONS. ILS SE SONT ENFUIS CE MATIN. J'AI SUIVI LEUR TRACE JUSQU'ICI.

OOOH... D'ACCORD, JE COMPRENDS MIEUX. J'AI VU TROIS CHATONS, TOUT À L'HEURE.

ILS M'ONT DIT QU'ILS DEVAIENT ALLER DANS UN ENDROIT IMPORTANT ET ILS ONT FILÉ !

UN "ENDROIT IMPORTANT" ? ILS AURONT DE LA CHANCE S'ILS NE SE FONT PAS ÉCRASER...

EST-CE QUE TU VEUX DE L'AIDE POUR LES CHERCHER ?

VENEZ ! JE CROIS QUE C'EST PAR LÀ.

TÊTARD, C'EST SANS ESPOIR ! NOUS NE SAVONS MÊME PAS DANS QUELLE TANIÈRE, IL VIVAIT !

ON PEUT RENTRER À LA MAISON, MAINTENANT ? ON DIRAIT QU'IL VA PLEUVOIR.

ÉCOUTEZ, MAMAN NOUS A RACONTÉ EN DÉTAIL L'ENDROIT OÙ ELLE VIVAIT. JE SUIS CERTAIN QUE NOUS LE RECONNAÎTRONS EN...

HÉ, LES MIOCHES, VOUS ALLEZ OÙ COMME ÇA ?

... EUH... LE VOYANT...

LES ÉTRANGERS NE SONT PAS LES BIENVENUS, PAR ICI.

SNIFF... VOUS VENEZ DE LA FORÊT, NON ?

TROIS BOULES DE POILS, TOUT JUSTE SORTIES DES BOIS...

VOUS FERIEZ MIEUX DE ME DIRE CE QUE VOUS FICHEZ ICI. ET TOUT DE SUITE !

OÙ SOMMES-NOUS ? ET C'EST QUOI TOUT CE BAZAR ?

DES TRUCS DE BIPÈDES, SANS DOUTE.

ALLONS EXPLORER L'ENDROIT ET CHASSER UN PEU ! CE SERA UNE AVENTURE !

VOUS VOYEZ ? ÇA, C'EST NOTRE DÎNER !

TÊTARD, ATTENDS-MOI ! JE VIENS AUSSI.

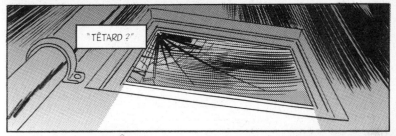

"TÊTARD ?"

OUI ?

JE SUIS DÉSOLÉE QUE LA SOURIS NOUS AIT ÉCHAPPÉ.

CE N'EST PAS GRAVE. ON FERAIT MIEUX DE SORTIR D'ICI, MAINTENANT.

HÉ ! C'EST PAR ICI QU'ON EST ENTRÉS ! C'EST FERMÉ, MAINTENANT !

COMMENT VA-T-ON SORTIR D'ICI ?

PAS DE PANIQUE. JE VAIS ALLER VOIR DE PLUS PRÈS.

C'EST COINCÉ. JE NE PEUX PAS... ÇA NE BOUGE PLUS...

QU'EST-CE QU'ON FAIT ?

ON EST PRIS AU PIÈGE !

SACHA ! TU ES FOLLE ! ILS ONT L'AIR DE VRAIS TUEURS ! PARTONS D'ICI !

CALME-TOI.

ET LAISSE-MOI FAIRE.

HÉ ! EST-CE QUE VOUS AURIEZ VU TROIS CHATONS DANS LE COIN ?

GRRRR... POUR QUI TU TE PRENDS, À NOUS PARLER COMME ÇA ?

T'ES SUR NOTRE TERRITOIRE ET...

SON ODEUR EST CELLE DE LA FORÊT.

OUI. J'APPARTIENS AUX CLANS QUI VOUS ONT CHASSÉS DE CHEZ NOUS. MES CAMARADES VEULENT...

... VENGER LA MORT D'ÉTOILE DU TIGRE. MAINTENANT, ILS SAURONT OÙ VOUS CHERCHER !

ILS... ILS SONT PARTIS PAR LÀ ! DANS LE JARDIN PLEIN D'HERBES HAUTES.

NOUS AVONS COOPÉRÉ ! NE PARLE PAS DE NOUS À TES CAMARADES, D'ACCORD ?

PITIÉ !

SCCCRRRIIIc

MES PETITS ! VITE ! SORTEZ DE LÀ !

MAMAN ! TÊTARD EST ENCORE À L'INTÉRIEUR !

AIDE-LE, MAMAN ! S'IL TE PLAÎT ! AIDE-LE !

TÊTARD, ATTRAPE MA PATTE !

...PATTE...

REGARDE-MOI ET ACCROCHE-TOI À MA PATTE !

TENDS TA...

49

CE DOIT ÊTRE UN CAUCHEMAR.

LAISSE-MOI Y RETOURNER ! IL A BESOIN DE MOI !

JE DOIS Y ALLER, JE DOIS...

IL EST PARTI, FAUCON.

MES MOTS ME SEMBLENT CREUX. CE N'EST PAS POSSIBLE.

TÊTARD... NOON, TÊTARD !

NOOOOON !

JE NE COMPRENDS PAS. MON MERVEILLEUX CHATON, SI BEAU ET COURAGEUX...

... EST MORT.

TOUT À COUP...
JE NE SAIS PLUS
TROP OÙ JE SUIS.

CHEZ MOI... JE DOIS
RENTRER CHEZ
MOI, RAMENER MES
CHATONS...

MES
CHATONS...

SACHA, JE SUIS...
JE SUIS VRAIMENT
DÉSOLÉE. VEUX-TU...
VEUX-TU VENIR CHEZ
MES MAISONNIERS ?

JE SUIS SÛRE QU'ILS
SERAIENT CONTENTS DE
VOUS VOIR ET DE VOUS
DONNER UN BON
REPAS...

RAMENER...

... MES CHATONS...

NON, MERCI. JE DOIS
RENTRER CHEZ MOI.
DANS LA FORÊT.
CHEZ MOI...

JE NE SENS PLUS RIEN. NI LA DOULEUR, NI LA FAIM, NI LE CHAGRIN... RIEN.

JE SUIS INCAPABLE D'ALLER CHASSER. OU MÊME DE PARLER.

FAUCON ET PAPILLON NE VEULENT PAS EN PARLER NON PLUS. JE SAIS QUE NOUS DEVRIONS...

... MAIS POUR L'INSTANT, LE SILENCE M'APAISE. JE N'AI PLUS D'ÉNERGIE...

... JE SENS LE SOMMEIL VENIR. JE N'ESSAIE PAS DE RÉSISTER.

ET JE PARS, COMME PRESQUE TOUJOURS, AU MÊME ENDROIT. CETTE FOIS-CI, JE SUIS CONTENTE DE LE VOIR.

NON, SACHA.

MAIS IL EST EN LIEU SÛR À PRÉSENT.

ÉTOILE DU TIGRE... TU SAIS, POUR TÊTARD ?

... OUI.

EST-CE... QU'IL EST LÀ, AVEC TOI ?

MAIS JE VIENS D'AVOIR UNE IDÉE FORMIDABLE ! ÉCOUTE, JE CONNAIS UNE FERME, PAS LOIN. LES CHATS QUI Y VIVENT SONT TRÈS GENTILS.

C'EST DE L'AUTRE CÔTÉ DE LA RIVIÈRE, TU N'AURAS DONC PAS DE PROBLÈME POUR TROUVER À MANGER.

JE PEUX T'Y EMMENER ! QU'EN PENSES-TU ?

ÇA ME SEMBLE TROP BEAU... JE NE SAIS PLUS.

MAIS QUE POURRAIS-JE FAIRE DE MIEUX ? JE DOIS EMMENER MES CHATONS LOIN D'ICI... LOIN DES SOUVENIRS, DE LA MALCHANCE...

ALLONS-NOUS VIVRE DANS UNE FERME, MAMAN ?

JE NE SAIS PAS. VOUS PENSEZ POUVOIR MARCHER LONGTEMPS ?

OUI, MAMAN, PROMIS !

NOUS SOMMES FORTS ! SUPER FORTS ! ALLONS-Y !

EH BIEN... ON DIRAIT QUE LA DÉCISION EST PRISE.

MERCI, PEUPLIER. JE TE DOIS BEAUCOUP.

IL EST RÉCONFORTANT DE SE REMETTRE EN ROUTE. D'AVOIR UN OBJECTIF.

PEUPLIER ET MOI SOMMES TRÈS PRUDENTS : NOUS CONTOURNONS DE LOIN LES TERRITOIRES DES CLANS...

... MÊME SI JE SUIS CURIEUSE D'EN VOIR UN QUE JE NE CONNAIS PAS.

QU'Y A-T-IL LÀ-BAS, PEUPLIER ?

LE CLAN DE LA RIVIÈRE. ILS SONT PLUS SYMPATHIQUES QUE D'AUTRES GUERRIERS... MAIS ILS RESTENT DES CHATS DE CLAN.

C'EST MAGNIFIQUE.

JE PARIE QUE JE POURRAIS TRAVERSER LA RIVIÈRE SUR SES ROCHERS EN COURANT SANS ME MOUILLER LES PATTES.

MAIS NOUS LAISSONS LE TERRITOIRE DU CLAN DE LA RIVIÈRE DERRIÈRE NOUS ET PEUPLIER NOUS CONDUIT JUSQU'À NOTRE DESTINATION.

NOUS Y SOMMES PRESQUE !

APRÈS CE PONT.

NOUS Y SOMMES.

ALORS, QU'EST-CE QUE JE VOUS DISAIS ?

C'EST BEAU, HEIN ?

ET ÇA, C'EST LA GRANGE OÙ PRESQUE TOUT LE MONDE DORT. ON Y EST BIEN AU CHAUD.

TU VOIS ? IL Y A MÊME UN NID QUI VOUS ATTEND. VOUS POURREZ VOUS Y BLOTTIR TOUS LES TROIS.

TU ES SÛR QUE C'EST UNE BONNE IDÉE ? J'AI L'IMPRESSION QUE NOUS NE SOMMES PAS AUSSI BIENVENUS QUE TU L'AIMERAIS.

QU'EST-CE QUE TU RACONTES ? C'EST TRÈS BIEN, ICI, VOUS ALLEZ ADORER !

MERCI, PEUPLIER, C'EST SUPER !

EH BIEN, JE DOIS PARTIR, MAINTENANT. J'AI À FAIRE.

JE SUIS VRAIMENT CONTENT POUR TOI ET TES PETITS. TOUT IRA BIEN, ICI.

MERCI ENCORE, PEUPLIER.

J'ESPÈRE ME TROMPER. MAIS J'EN DOUTE.

VOUS AVEZ VU CES CHATS ! COMME ON DOIT LEUR SEMBLER SALES ET MITEUX !

PAS ÉTONNANT QU'ILS ME REGARDENT DE HAUT.

61

DE PLUS...

... JE L'AI SUFFISAMMENT HUMILIÉE COMME ÇA.

TU FAIS PARTIE DE CES STUPIDES CHATS DE LA FORÊT, PAS VRAI ? TU ES UNE GUERRIÈRE ?

SA QUESTION ME DÉSTABILISE. JE NE SAIS PAS TROP COMMENT Y RÉPONDRE...

SUIS-JE UNE GUERRIÈRE ? MES PETITS SONT DES DEMI-CLANS, MAIS MOI... ?

SOUDAIN... SOUDAIN JE REPENSE À MON SÉJOUR AU SEIN DU CLAN DE L'OMBRE. ET JE SAIS.

EH OUI !

JE SUIS UNE GUERRIÈRE.

MAINTENANT, ÉCOUTEZ-MOI... C'EST IMPORTANT.

LÀ OÙ NOUS ALLONS, VOUS RISQUEZ D'ENTENDRE DES HISTOIRES SUR LUI, UN JOUR OU L'AUTRE. MAIS N'OUBLIEZ JAMAIS QUE JE L'AIMAIS.

ET JE SAIS QU'IL SERAIT FIER DE VOUS.

QUEL GENRE D'HISTOIRES ? EST-CE QUE... ON VA LE VOIR, ÉTOILE DU TIGRE ?

NON.

ÉTOILE DU TIGRE EST MORT.

ET VOUS DEVEZ ME PROMETTRE QUE VOUS NE PARLEREZ JAMAIS DE LUI. ENTENDU ?

MAIS MAMAN, POURQUOI ?

JE SUIS TRÈS SÉRIEUSE. C'EST NOTRE SECRET. D'ACCORD ?

D-D'ACCORD MAMAN.

C'EST PROMIS.

OU JUSTE UNE NOUVELLE ÉTAPE ?

MÊME SI CE N'EST PAS TOUT À FAIT LA MÊME CHOSE, CET ENDROIT ME RAPPELLE LE CLAN DE L'OMBRE.

EST-CE BON SIGNE ? JE L'ESPÈRE.

SACHA, FAUCON, PAPILLON.

SOYEZ LES BIENVENUS DANS LE CLAN DE LA RIVIÈRE !

ÇA DONNE LE TOURNIS, TOUS CES MUSEAUX INCONNUS, TOUS CES NOUVEAUX NOMS.

D'ABORD, JE VOUS PRÉSENTE NOTRE GUÉRISSEUR, PATTE DE PIERRE.

C'EST UNE VILAINE DÉCHIRURE QUE TU AS LÀ, FAUCON.

MÊME PAS MAL. JE SUIS COSTAUD, JE N'AI PAS PEUR !

JE N'AI JAMAIS CRU QUE TU AVAIS PEUR. MAIS IL FAUT TOUT DE MÊME TE SOIGNER, SI TU VEUX DEVENIR UN GUERRIER. D'ACCORD ?

GARDE CETTE TOILE D'ARAIGNÉE EN PLACE... ET JE VAIS TE DONNER UNE GRAINE DE PAVOT POUR T'AIDER À DORMIR.

ENSUITE, NOUS DÉCOUVRONS LA POUPONNIÈRE. COMME PELAGE D'ORAGE LE DISAIT TOUT À L'HEURE, ELLE EST PRESQUE VIDE.

PATTE DE BRUME VEILLE SUR LES PETITS. JE L'APPRÉCIE AUSSITÔT.

VOILÀ... VOUS M'AVEZ L'AIR FATIGUÉS, NON ? DORMEZ BIEN.

JE CROIS QUE J'AI FAIT LE BON CHOIX. ILS ONT DU SANG DE GUERRIER DANS LEURS VEINES, APRÈS TOUT. ILS ONT PEUT-ÊTRE ENFIN TROUVÉ LEUR PLACE.

ÉTOILE DU TIGRE NE VIENT PAS ME VOIR EN RÊVE CETTE NUIT-LÀ. JE ME RETROUVE SEULE AVEC SON ODEUR.

IL ME MANQUE... TERRIBLEMENT, PARFOIS.

LE LENDEMAIN MATIN, J'AI LE CŒUR SI GROS QUE J'AI L'IMPRESSION D'AVOIR UNE PIERRE DANS LE POITRAIL.

JE N'AI PAS LE TEMPS DE M'APITOYER SUR MON SORT. ÉTOILE DU LÉOPARD A CONVOQUÉ UNE ASSEMBLÉE DU CLAN.

... ET ON NOUS CONDUIT AU ROCHER. À SON SOMMET : ÉTOILE DU LÉOPARD.

AUJOURD'HUI, NOUS ACCUEILLONS TROIS NOUVEAUX MEMBRES DU CLAN DE LA RIVIÈRE !

FAUCON ET PAPILLON SONT ENCORE TROP JEUNES MAIS, SELON LA TRADITION...

AVANT QUE JE COMPRENNE CE QUI ARRIVE, PATTE DE BRUME M'AMÈNE FAUCON ET PAPILLON...

... SACHA, TU AS LA CHANCE DE RECEVOIR TON PROPRE NOM DE GUERRIÈRE.

J'EXPLIQUE QUE JE N'Y SUIS PAS PRÊTE, MAIS C'EST UN MENSONGE. JE NE PEUX PAS PRENDRE UN NOM DE GUERRIÈRE.

EH BIEN...

CE N'EST PAS GRAVE. NOUS AURONS LE TEMPS D'Y REVENIR PLUS TARD.

JE CONSTATE AVEC PEINE QUE MA DÉCISION N'A PAS PLU.

ET COMME SI LEURS REGARDS NOIRS NE SUFFISAIENT PAS...

... CERTAINS NE SE GÊNENT PAS POUR LE DIRE.

... DES ÉTRANGERS... COMMENT ÊTRE CERTAINS QU'ILS NOUS SERONT LOYAUX ?

ET S'ILS ÉTAIENT DES ESPIONS DU CLAN DU SANG ?

HEUREUSEMENT POUR NOUS, LES SOUPÇONS NE DURENT QU'UN TEMPS. NOUS COMMENÇONS À NOUS INTÉGRER...

... ET ON M'INVITE BIENTÔT À ALLER CHASSER.

PEU APRÈS, ÉTOILE DU LÉOPARD FAIT UNE ANNONCE AU CLAN.

FAUCON ET PAPILLON DEVIENNENT DES APPRENTIS GUERRIERS.

C'EST EXACTEMENT CE QUE JE VOULAIS POUR EUX.

JUSQU'À LA FIN DE VOTRE APPRENTISSAGE, VOUS VOUS APPELLEREZ...

... NUAGE DE PAPILLON...

... ET NUAGE DE FAUCON.

VOILÀ, COMME ÇA... SURVEILLE TA POSITION !

LEUR ENTRAÎNEMENT COMMENCE AUSSITÔT. ILS APPRENNENT À SE BATTRE...

...À CHASSER...

... ET À SURVEILLER LA FRONTIÈRE DU TERRITOIRE DU CLAN DE LA RIVIÈRE.

ILS ARRIVENT MÊME À NAGER... CE QUI EST CRUCIAL, PUISQUE LE CLAN DE LA RIVIÈRE SE NOURRIT SURTOUT DE POISSONS.

J'AIME ME DIRE QUE LA FOURRURE SOYEUSE QU'ILS TIENNENT DE MOI LES AIDE UN PEU.

MALHEUREUSEMENT, JUSTE APRÈS LE DÉBUT DE LEUR APPRENTISSAGE, UN INCIDENT SURVIENT.

GRRRRRR ! JE SUIS ÉTOILE DU TIGRE ET JE VAIS ENVAHIR LA FORÊT ET TUER TOUT LE MONDE !

JAMAIS ! ON T'EN EMPÊCHERA !

TOUS SUR LUI !

MRRIAOU ! AU SECOURS, ON M'A ÉVENTRÉ COMME UN POISSON !

PRENDS ÇA ! ET ÇA ! ET ÇA !

CE CHATON... IL FAIT SEMBLANT D'ÊTRE... NOTRE PÈRE ?

POURQUOI EST-CE QU'IL A DIT QU'IL VOULAIT TUER TOUT LE MONDE ?

HEIN ? POURQUOI ?

JE N'IMAGINE MÊME PAS CE QU'ONT DÛ PENSER LES AUTRES EN VOYANT MES CHATONS...

VOUS DEVEZ COMPRENDRE, QUE CETTE ZONE DU CAMP EST ABANDONNÉE POUR UNE BONNE RAISON.

CE QUE VOUS AVEZ TROUVÉ, CE SONT LES RESTES DU MONTICULE D'OSSEMENTS D'ÉTOILE DU TIGRE.

C'EST LÀ QU'IL FORÇAIT LES CLANS-MÊLÉS À SE BATTRE JUSQU'À LA MORT.

ÉTOILE DU LÉOPARD NOUS EXPLIQUE LONGUEMENT CE QUI S'EST PASSÉ, NOUS DÉCRIT LA DOULEUR ET LA SOUFFRANCE QU'ÉTOILE DU TIGRE LEUR A CAUSÉES.

J'IGNORAIS QU'IL S'ÉTAIT TANT RAPPROCHÉ DU CLAN DE LA RIVIÈRE.

JE SUIS SOULAGÉE - ET FIÈRE - QU'AUCUN DE MES CHATONS N'INTERROMPE ÉTOILE DU LÉOPARD.

JE COMPTAIS TROUVER UNE EXCUSE POUR NE PAS ME RENDRE À L'ASSEMBLÉE.

JE PENSAIS POUVOIR GARDER SECRÈTE L'IDENTITÉ DU PÈRE DE MES CHATONS AUSSI LONGTEMPS QUE JE RESTERAIS LOIN DU CLAN DE L'OMBRE.

MAIS...

MAINTENANT JE SAIS QUE JE NE PEUX PAS RESTER ICI. NUAGE DE FAUCON ET NUAGE DE PAPILLON SONT TROP VULNÉRABLES.

J'APPRÉHENDE LE MOMENT OÙ JE DEVRAI LE LEUR ANNONCER.

JE... JE DOIS VOUS DIRE QUELQUE CHOSE... ET CE NE SERA PAS FACILE À ENTENDRE.

NOUS NE POUVONS PAS RESTER ICI. NOUS DEVONS RETOURNER VIVRE DANS LES BOIS. NOUS NE SOMMES PLUS EN SÉCURITÉ.

NON ! JE NE VEUX PAS PARTIR ! JE VEUX DEVENIR UN GUERRIER ! MAMAN, S'IL TE PLAÎT, NE ME FORCE PAS À PARTIR... !

MAMAN, JE NE PEUX PAS LAISSER FAUCON. JE LE LUI AI PROMIS.

S'IL RESTE... JE DOIS RESTER AUSSI.

NOUS NE PARLERONS PLUS D'ÉTOILE DU TIGRE.

NOUS NE LE DIRONS JAMAIS !

ET... SI NOUS N'EN PARLONS PAS... PERSONNE NE POURRA DÉCOUVRIR QU'IL ÉTAIT NOTRE PÈRE !

JE COMMENCE PAR LEUR DIRE QUE NOUS N'AVONS PAS LE CHOIX : NOUS DEVONS PARTIR. PUIS JE COMPRENDS UNE CHOSE :

SI JE PARS, PERSONNE NE POURRA ME RECONNAÎTRE ET FAIRE LE LIEN AVEC ÉTOILE DU TIGRE, PERSONNE NE SAURA QU'IL EST LEUR PÈRE.

DANS TOUTE LA FORÊT, UNE SEULE CHATTE CONNAÎT LA VÉRITÉ ET JE FAIS CONFIANCE À FEUILLE ROUSSE, ELLE NE DIRA RIEN.

DONC, LE PLUS SÛR POUR MES CHATONS... C'EST D'ÊTRE... LOIN DE MOI.

JE DOIS PARLER À ÉTOILE DU LÉOPARD SUR-LE-CHAMP.

BON, ÉTOILE DU LÉOPARD... JE SUIS DÉSOLÉE, C'EST DUR À DIRE... JE TE DOIS TANT... CEPENDANT...

LE CODE DU GUERRIER, CE N'EST PAS POUR MOI. MES PETITS RESTERONT.

MAIS MOI, JE CROIS QU'IL VAUT MIEUX QUE JE M'EN AILLE.

JE NE VEUX PAS TE PERDRE, SACHA, MAIS... JE CONNAIS MES GUERRIERS.

ILS SONT SI MÉFIANTS QUE JE NE SUIS PAS CERTAINE QUE TU AURAIS ÉTÉ PLEINEMENT ACCEPTÉE UN JOUR.

JE T'AUTORISE À PARTIR. ET JE TE REMERCIE... DE BIEN VOULOIR NOUS LAISSER TES CHATONS.

Lisez vite un extrait de :

Le destin de Nuage de Jais

Et découvrez l'histoire d'un autre solitaire de la forêt

MRRIAAOUU!

TOUT VA BIEN ?

JE NE CONNAIS PAS LES DÉTAILS DE SON PASSÉ, MAIS JE SAIS QUE SA SŒUR A FAILLI MOURIR.

J'AI FAIT UN CAUCHEMAR...

OUI.

TOUJOURS LE MÊME ? AVEC VIOLETTE ?

CE N'ÉTAIT QU'UN RÊVE, VIOLETTE VA BIEN MAINTENANT.

VIENS, NOUS DEVONS PARTIR.

NOUS POURRIONS TROUVER UNE AUTRE FERME, TU SAIS...

À SUIVRE...

DÉCOUVREZ LES AUTRES ROMANS ILLUSTRÉS DE

LA GUERRE DES CLANS

LES AVENTURES DE PLUME GRISE

1. *Le guerrier perdu*
2. *Le refuge du guerrier*
3. *Le retour du guerrier*

LE DESTIN DE NUAGE DE JAIS

1. *Une paix menacée*
2. *Un clan en danger*
3. *Un cœur de guerrier*

ÉTOILE DU TIGRE ET SACHA

1. *Seule dans la forêt*
2. *En fuite !*
3. *Retour aux Clans*

LA GUERRE DES CLANS

ROMANS

Cet ouvrage a été imprimé
en Espagne par
Liberdúplex

Sant Llorenç d'Hortons (Barcelone)

Dépôt légal : juillet 2015

MIXTE
Papier issu de
sources responsables
FSC® C003309

Pocket Jeunesse, une marque d'Univers Poche,
est un éditeur qui s'engage pour
la préservation de son environnement
et qui utilise du papier fabriqué à partir
de bois provenant de forêts gérées
de manière responsable.

www.pocketjeunesse.fr
POCKET JEUNESSE

12, avenue d'Italie – 75627 PARIS Cedex 13